Ains

ver

net

...nique de Saint Mars

Serge Bloch

CALLIGRAM

CHRISTIAN GALLIMARD

Série dirigée par Dominique de Saint Mars

© Calligram 2006
Tous droits réservés pour tous pays
Imprimé en Italie
ISBN : 2-88480-252-5

Il est plus beau que l'ancien ! Faudra mettre un antivirus ! Et un pare-feu ! Et pas oublier de les mettre à jour...

Bravo, Lili, High Tech girl !

On va installer le « contrôle parental » pour vous protéger des dangers d'Internet !

Quels dangers ? Les virus ? Les ordis attrapent la grippe ?

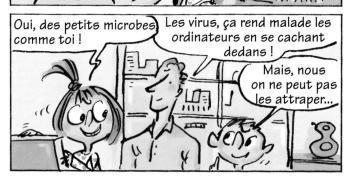

Oui, des petits microbes comme toi !

Les virus, ça rend malade les ordinateurs en se cachant dedans !

Mais, nous on ne peut pas les attraper...

7

8

9

* Bug : erreur de fonctionnement d'un programme de l'ordinateur.

10

On la met à la poubelle ?

Non, ils vont la trouver. Il faut la sortir de la maison. L'emmener à l'école ?

NON ! Pas à l'école ! On la déchire ! On la brûle !

Ça peut intéresser Jérôme ? Et Jérémy aussi ? Et peut-être tout le monde !

Tu es fou ! Ils vont croire qu'on est des obsédés !

Tiens, l'ordi est allumé, mais l'écran est éteint ?

AAAH !!! Paul, c'est toi qui va sur ces sites ?

Enfin, non ! Pour qui tu me prends ?!... Alors c'est Max et Lili ?

Ils sont trop petits !

C'est peut-être arrivé avec une pub... tu sais, Internet...

N'en parlons pas aux enfants ! Ça va les traumatiser !

CLIC !

13

15

17

Je vais aller sur un forum... y a sûrement un moyen !

LL : Comment effacer photo sur site ? Urgent, Lili !!!

Tu parles à qui, Lili ?

À personne, mêle-toi de tes oignons !

Tiens, quelqu'un m'a répondu...

– Bonjour Lili, je suis Fabien, je pourrai trouver la solution à ton problème. Envoie-moi la photo à mon adresse e-mail. RDV sur ta messagerie.
LL :– Voilà la photo. Merci beaucoup, Fabien. À tout de suite.

Fabien : En effet, tu peux pas te laisser faire.
J'ai trouvé un logiciel « efface-photo ».
T'as beaucoup d'amis garçons ?
LL : Ben, oui, pourquoi ?
F : Peut-on se retrouver dans ton quartier dans une 1/2 heure ? N'en parle pas. C'est TOP SECRET.
LL : OK, au supermarché. T'es comment ?
F : C'est moi qui te reconnais, j'ai la photo.
T mignonne. T'en as d'autres comme ça à effacer ?

19

* Retrouve cette histoire dans le livre *Lili a été suivie*.

21

22

* Spam : message publicitaire qui arrive dans la boîte aux lettres sans qu'on l'ait demandé.

23

24

26

Vous savez, les photos ou les films pornos*, ce sont des acteurs qui sont payés pour faire semblant de faire l'amour ! C'est pas la vraie vie !

Pourtant on en voit même sur les kiosques à journaux !

Ce sont des images fabriquées, pour exciter, il y a des gens qui aiment ça... Et c'est pour faire vendre.

Ce n'est pas la réalité ! Les femmes ont des énormes poitrines et les hommes sont super musclés !

Les chats, ils ont pas besoin d'images !

* Pornographie ou porno : images qui montrent des actes sexuels d'une manière impudique, choquante ou trompeuse.

28

* Avoir dans son ordinateur des photos érotiques d'enfants nus est puni de prison et d'amendes à payer.
* Pédophile : adulte qui recherche et pratique des relations sexuelles avec des enfants. C'est interdit et puni de prison.

Il va voir ce salopard ! C'est impossible d'effacer une photo une fois diffusée !

Le voilà, je l'envoie à la police du web* ! On laisse toujours une trace sur Internet !

J'appelle la mère de Valentine ! On n'a pas le droit de montrer la photo de quelqu'un sans son accord ! Les parents sont responsables !

Elle va me détester encore plus !

C'est elle qui a fait une bêtise. Toi, tu aurais dû nous en parler aussitôt même si tu as bien réagi !

* Police du Web : www.internet-mineurs.gouv.fr

31

33

Et si on vous promet qu'on fera toujours les devoirs en premier ?

Et qu'on viendra à table tout de suite !

Alors Barbara, on est d'accord pour une heure par jour ?

Ok, on installe un contrôle parental ! Ça filtrera les horribles sites... vous serez plus tranquilles et on décidera des horaires.

Et nous, on peut vous demander quelque chose ???

Alors vous aussi, pas plus d'une heure par jour ? C'est vrai, vous ne jouez jamais avec nous !

Nous aussi, on a besoin d'être regardés ! Sinon on n'a plus qu'à s'envoyer des e-mails...

34

35

On a trouvé des super recettes faciles pour papa !

Là, je me suis fait piéger ! J'avais bien dit qu'il ne fallait pas les laisser traîner sur Internet !

Moi, j'ai toujours trouvé ça bien, Internet !

Ouf ! Enfin dans le vrai monde !

Et toi...

Est-ce qu'il t'est arrivé la même histoire qu'à Lili ?

Quels problèmes as-tu eu ? Qui t'a aidé ?
Tes parents s'y connaissent ou tu es plus fort qu'eux ?

Tu y passes trop de temps ? Car ton ordi est dans ta chambre ?
Aimerais-tu que tes parents s'intéressent plus à ce que tu fais ?

As-tu vu des images choquantes ? Ça t'a dégoûté ?
Intéressé ? Tu as du mal à les oublier ? As-tu osé en parler ?

Quelqu'un t'a menacé ? Ça t'a fait peur ? Tu as cru que c'était un ami ? As-tu donné ton mot de passe ?

As-tu participé à un concours ? As-tu été arnaqué ? Tu crois tout ce qu'on te dit ?

As-tu du mal à t'arrêter ? Aimes-tu les jeux vidéo ? Ça te rend agressif ? Ça t'éloigne de la réalité ?

Internet, tu ne sais pas ce que c'est ? Vous ne l'avez pas à la maison ? Tu es trop jeune ? C'est trop cher ?

En as-tu envie ? Tes parents s'y intéressent-ils ?
En fais-tu ailleurs ? Préfères-tu faire autre chose ?

Tu trouves ça génial ? L'utilises-tu pour jouer, pour chercher des infos, pour l'école, parce que tu es hospitalisé ?

Tu « tchattes » avec tes amis, même au bout du monde ?
Avec tes parents même s'ils sont séparés ?

Sais-tu qu'il peut y avoir des gens dangereux derrière
l'écran ? Qu'on peut te mentir ? Que rien n'est gratuit ?

As-tu un contrôle parental chez toi ? C'est mieux ? Trouves-
tu que tes parents passent trop de temps sur Internet ?

e-dico de Max et Lili

@ : arobase, signifie « chez » ou « à » (en anglais « at »)

Blog : site pour parler de toi, comme un carnet personnel sur Internet. Mais tout le monde peut le lire !

Chat : ça veut dire « bavarder » en anglais, se prononce « tchat » : logiciels permettant de discuter entre internautes, en temps réel.

E-mail : de l'anglais « electronic mail », courrier électronique. C'est l'adresse de l'internaute sur le réseau qui permet de recevoir et d'envoyer des messages (composée d'un nom d'utilisateur et d'un nom de domaine séparés par un @).

FAQ (Foire Aux Questions) : questions les plus souvent posées à partir d'un sujet ou d'un groupe de discussion.

Forum de discussion : les utilisateurs peuvent échanger informations, astuces, conseils et opinions. Ils peuvent être surveillés par un modérateur qui lit le message avant de le publier.

Fournisseur d'accès à Internet : désigne une entreprise qui vend l'accès à Internet.

Hoax : en anglais : fausses informations, rumeurs, blagues...

Internaute : utilisateur d'Internet.

Internet : réseau mondial formé de milliers d'ordinateurs interconnectés par des fils de téléphone, des câbles, ou par des ondes comme la radio.

Logiciel de filtrage et de contrôle parental : logiciel qui limite l'envoi de certaines données personnelles (nom, prénom, adresse...), l'accès aux sites dangereux et le temps passé.

Login : nom de l'utilisateur suivi du nom de domaine.

Messagerie instantanée : sorte de chat permettant de parler en direct et entre amis.

Moteur de recherche : outil qui permet de rechercher des informations grâce à des mots-clés.

Mot de passe (en anglais password) : mot que tu dois inventer, te rappeler et garder secret pour que tu sois le seul à accéder à ta boîte mail, à un jeu ou à un logiciel.

Netiquette : vient de Net (Internet) et étiquette (morale) : règles de respect et de politesse entre usagers d'Internet.

Peer to peer (pair à pair) : c'est quand on laisse sur son ordinateur, à la disposition des autres, une partie de ses fichiers (musique, jeux...) comme sur un quai de déchargement.

Pirater : prendre un programme sans payer.

Pop-up : petite fenêtre qui s'ouvre avec une page Web et contient souvent une pub.

Pseudo : un pseudonyme, c'est un autre nom qu'on prend pour cacher son identité.

Site : c'est comme un journal qui contient des informations et des pages reliées entre elles par des liens hypertextes.

Télécharger : transférer vers son ordinateur une information, un programme, un formulaire, un logiciel, de la musique, un film... disponibles sur Internet.

Toile (d'araignée) : en anglais Web, c'est Internet.

Web : service d'Internet qui publie des pages contenant des textes, des images, des sons. On l'appelle aussi World Wide Web (www), la toile d'araignée mondiale !

e-conseils
de Max et de Lili

☛ Ne donne pas ton nom, ta photo, ton adresse ou celle de ton école, ton téléphone, ton mail, sans en parler à tes parents...

☛ Attention danger ! N'oublie pas qu'il rôde sur la toile des gens malveillants ou des pédophiles qui peuvent chercher à te repérer. Heureusement, il y a surtout beaucoup de gens gentils !

☛ Si un copain ou une copine publie des photos de toi ou des informations sur toi que tu ne veux pas voir circuler, parles-en à tes parents, ne te laisse pas faire, la loi est de ton côté.

☛ Si tu vois une image choquante, déconnecte-toi et parles-en à tes parents. N'envoie jamais sur le Net des images privées de toi, elles pourraient être utilisées, transformées...

☛ Respecte les autres comme dans la vraie vie. Ne critique pas ou ne calomnie pas quelqu'un sur le net, c'est interdit ! Dis ce que tu penses en face ! Si tu te fais agresser, déconnecte-toi.

☛ Si tu veux rencontrer quelqu'un que tu as connu en ligne, parles-en à tes parents puis vas-y avec eux ou avec des amis. Attention aux faux amis et aux rencontres dangereuses !

☛ Supprime, sans les ouvrir, les mails envoyés par des inconnus, même si les noms ressemblent à ceux que tu connais. Si tu réponds, tu donnes ton adresse mail automatiquement !

☛ Attention au téléchargement de jeux, musiques ou films ! C'est du vol de prendre le travail d'un auteur et de le distribuer gratuitement sans son accord.

☛ Trouve des sites qui vendent des logiciels pas chers en ligne ou des sites qui offrent de télécharger gratuitement, pour se faire connaître ou pour rendre service (freeware).

☛ Ne réponds pas aux chaînes ou aux propositions d'achat, c'est souvent pour attraper ton adresse et t'avoir comme futur client. Quand c'est trop beau pour être vrai, ce n'est souvent pas vrai !

☛ Si tu tombes sur de la violence, du racisme, de l'appel à la haine, au suicide, à la maigreur, ou aux drogues, ne te laisse pas influencer, demande à des gens en qui tu as confiance, et reste toi-même !

☛ Ne t'engage pas à acheter en ligne, demande à tes parents de le faire.

☛ Montre à tes parents comment tu surfes, ce qui t'intéresse et apprends-leur ce que tu sais et qu'ils ne savent pas.

☛ Discute avec tes parents de la place de l'ordinateur et des horaires pour surfer sur le Net.

☛ N'y passe pas trop de temps ! Mets-toi un sablier pour mesurer le temps ! Il n'y a pas que le Net dans la vie !

☛ Même si tu sais écrire en « texto », garde une bonne orthographe. Ça te servira aussi pour plus tard !

**Après avoir réfléchi
aux pièges d'Internet
tu peux en parler
avec tes parents ou tes amis**